Histoires
de petites bêtes

FLEURUS

Illustration de couverture : Romain Guyard
Direction : Guillaume Arnaud
Direction éditoriale : Sarah Malherbe
Édition : Anna Guével
Direction artistique : Élisabeth Hebert, assistée de Sophie Farnier
Mise en pages : Sophie Boscardin
Fabrication : Thierry Dubus, Anne Floutier
© Fleurus, Paris, 2011, pour l'ensemble de l'ouvrage.
Site : www.fleuruseditions.com
ISBN : 978-2-2150-4987-6
MDS : 651 433
N° d'édition : 12010

Histoires à raconter pour les petits

Histoires
de petites bêtes

Fleurus

Sommaire

Une libellule extraordinaire

Lulle, la petite libellule, part se promener.
Sur son chemin, elle rencontre une petite abeille qui transporte deux seaux remplis de poudre jaune.
Lulle lui demande ce qu'elle fait.
« Je rapporte du pollen à la ruche, lui explique la petite abeille. Nous, les abeilles, fabriquons du miel. »
Lulle reprend son chemin.

Sur sa route, elle aperçoit un criquet en tenue de soirée.
Lulle se pose à son côté et lui demande où il va.
« Je me rends à un concert, lui annonce le criquet.
Nous, les criquets, sommes de grands musiciens. »

Aussitôt le petit insecte se met à chanter. Lulle est
subjuguée. Son chant est merveilleux et lui rappelle
les belles nuits d'été. Lulle repart.

Près d'un arbre, elle croise une araignée qui agite
ses huit pattes dans tous les sens. Lulle lui demande
ce qu'elle fabrique.
« Je tisse une toile, lui indique l'araignée.
Nous, les araignées, produisons de la soie. »

Arrivée près de l'étang, Lulle est un peu triste.
Tous les animaux qu'elle a croisés possèdent un don
particulier. Seule Lulle ne sait rien faire. Elle se pose
délicatement sur une feuille rose pour réfléchir.

Soudain la feuille se soulève dans les airs. Lulle s'est
trompée. Ce n'est pas une feuille mais la main d'une
petite fille. Elle n'ose plus bouger.
« Regarde, maman ! dit la petite fille. Une libellule.
– Elle est ravissante ! s'exclame sa maman. Les libellules
m'ont toujours fait rêver. »
Rassurée, Lulle s'envole vers un nénuphar. Elle est ravie.
Elle aussi a un don extraordinaire. Celui de faire rêver !

La nuit des amoureux

Comme chaque soir, Émile le mille-pattes rentre à petits pas de sa promenade en forêt.

« Quel silence ! Parfait, je vais bien dormir », se réjouit-il.

Mais sur le grand chêne près de chez lui, pif, paf !
Brutor et Lutor les lucanes se battent à coups de pinces
en criant : « C'est moi qu'elle aime !
– Non, c'est moi ! »
Tous deux ont la même amoureuse.
« Quel chahut ! » proteste Émile.

Puis, dans la clairière, il est bousculé par une bande de
vers luisants qui volettent en tous sens, en hurlant :
« Je suis le plus beau !
– Je vole mieux que toi ! »
Tous font les fiers autour de Louisette, qui a mis sa jolie
robe verte.
« Quels agités ! » grogne Émile.

De retour chez lui sous son caillou, il va se coucher
lorsqu'un grillon, perché sur son toit, se met à chanter :
« Ma chérie, lalalali, comme tu es jolie ! »
Émile en a assez de tous ces amoureux !
Furieux, il sort et lance une montagne de pantoufles
vers ce chanteur enquiquineur.

Hélas, l'une d'elles heurte Ogra, la mante religieuse,
qui do...t au creux des herbes. Très contrariée, elle
se précipite vers Émile pour le croquer, bloquant l'accès
à son abri.
Vite, Émile s'enfuit. Mais dans la panique, il s'embrouille
les pattes, dégringole jusqu'à la mare et s'empêtre dans
la boue. Il est perdu !

Quand tout à coup, une petite voix claironne :
« Tenez, madame Ogra, j'ai un cadeau pour vous. »
Ravie, la mante religieuse accepte le bouquet qu'on lui
tend : « Comme c'est charmant, merci ! »

Ouf, elle s'en va, calmée. Émile est sauvé ! Sa sauveuse
s'appelle Milena… et elle est belle comme mille étoiles.
Émile est déjà fou d'elle…
Désormais, les deux amoureux font des claquettes toute
la journée. Et tant pis pour ceux qui voudraient dormir !

Léa, la petite coccinelle, est bien embêtée : elle ne sait pas compter jusqu'à 10.

Quand elle part acheter 9 pucerons pour sa maman, elle n'en rapporte que 8. Le dîner est raté.

Quand elle fête l'anniversaire de son grand frère, elle décore le gâteau avec 7 bougies au lieu de 10. Son grand frère n'est pas content du tout…

Sa maman la rassure : « Ça viendra, Léa, tu compteras
bientôt très bien, tu verras. »
Mais la petite coccinelle veut savoir compter
tout de suite.

Elle va voir son ami Tob le mille-pattes qui lui explique :
« C'est bien simple, Léa. Moi, je compte sur mes pattes.
1, 2, 3, 4, 5… 10, 100, 1000 ! »
Léa trouve cela génial, mais elle n'a que… 6 pattes.
Tob est désolé, il n'a pas d'autre astuce à partager.

Léa ne se décourage pas. Elle va
voir son amie Sara la sauterelle, qui lui
propose : « Pour compter, fais comme moi,
Léa. Saute ! »
Et Sara compte ses bonds pendant que Léa saute avec
elle : « 1, 2, 3, 4, 5… 10. » Léa trouve cela très amusant,
mais très vite elle s'arrête, complètement épuisée.
Léa a des ailes pour voler, pas de grandes pattes
pour sauter.

En rentrant chez elle, Léa passe devant la garderie
des coccinelles. Là, elle voit tout un groupe de bébés alignés
qui dorment sur de petits tapis. Ils sont si mignons, avec
leurs taches noires sur leurs ailes rouges bien astiquées.
Et soudain, Léa remarque : le premier a 1 tache,
le deuxième en a 2, le troisième, 3…
Hourra ! Elle a enfin trouvé
son astuce !

« Maman, maman, je sais compter maintenant ! » dit Léa
en rentrant.
Très fière, elle s'envole devant le miroir et compte sur
ses ailes : « 1, 2, 3, 4, 5, 6, 7, 8, 9… et 10 ! »

Une étrange disparition

Bibop l'abeille et Cha-Cha la chenille sont les meilleures amies du monde. Chaque après-midi, elles adorent se retrouver au Square Fleuri. Elles dansent ensemble au son des bzz bzz de Bibop. Avec toutes ses paires de pieds, Cha-Cha est infatigable !

Mais voilà qu'un beau jour Cha-Cha ne vient pas au
rendez-vous. Bibop rentre chez elle, déçue et inquiète.
Le lendemain, la chenille ne se montre toujours pas.
« Cha-Cha a disparu ! se lamente Bibop auprès d'Hubert
la sauterelle.

– Va donc faire un tour du côté de l'Arbre Creux.
Elle aime s'endormir là-bas, le soir ! »
Bibop vole aussi vite qu'elle peut et fait une horrible
découverte dans l'une des cavités du tronc.
« Une toile d'araignée ! »

Ses cris ont alerté une grosse araignée aux pattes poilues.
« Bonjour, l'abeille. Cela te tente de me voir broder ? »
Bibop est sûre que Cha-Cha est prisonnière de cette
méchante créature. Vite, elle la bombarde de boules
de pollen qu'elle garde toujours en réserve dans son sac
à dos.

«Tu as déchiré ma broderie!» crie l'araignée, furieuse,
en s'échappant avec ses bouts de fil. Bibop se précipite
à l'intérieur de l'arbre. Elle se cogne contre un paquet
blanc qu'elle prend pour une bobine de fil de l'araignée,
quand elle entend une voix.

aïe !

« Qui ose bousculer mon cocon de cette façon ?

– Cha-Cha ? C'est toi ? »

À cet instant, le cocon se déchire et un magnifique papillon déploie ses ailes multicolores !

« Bonjour, Bibop !

– Comme tu as changé ! Je croyais que l'araignée t'avait dévorée ! »

Cha-Cha éclate de rire.
«Il me fallait juste un peu de temps pour me transformer! Ah, je suis si contente d'avoir des ailes!»
Désormais, chaque après-midi, on peut voir Cha-Cha et Bibop danser, mais aussi voler ensemble, très haut dans le ciel!

La vieille cigale et les petites fourmis...

C'était l'automne et Madame Cigale écoutait sur
sa terrasse son disque préféré.
Boum! Boum! Soudain, le sol trembla sous ses pieds.
« Quel est donc ce raffut? »
Des voix résonnaient au loin.
« Fourmita, dépêche-toi! Il faut creuser le tunnel n° 10
d'ici à ce soir!
– Ohé, Fourmito, tu me prêtes ton marteau piqueur? »
Madame Cigale devint encore plus verte… de rage!

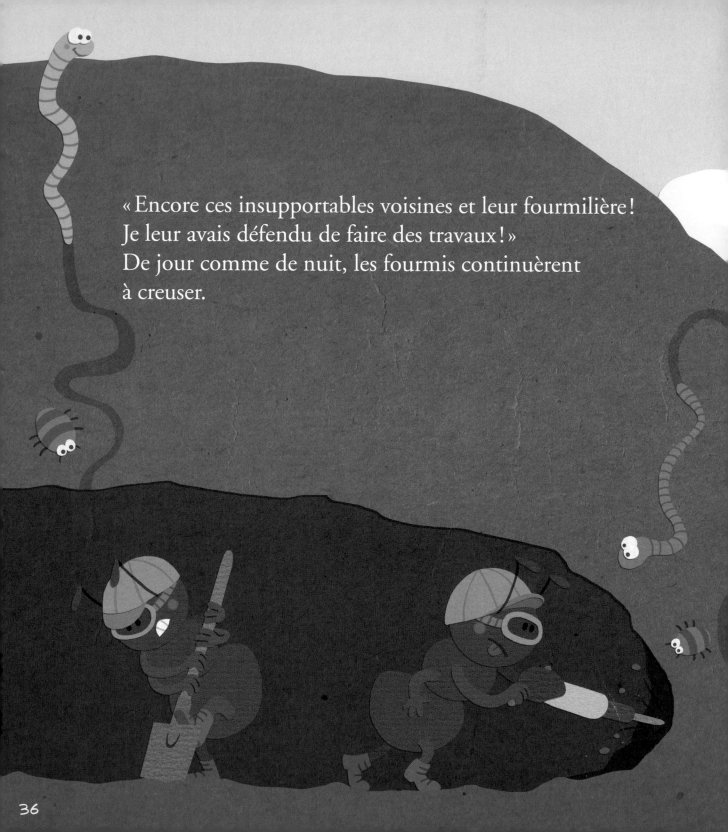

« Encore ces insupportables voisines et leur fourmilière !
Je leur avais défendu de faire des travaux ! »
De jour comme de nuit, les fourmis continuèrent
à creuser.

Madame Cigale avait mal à la tête et quand le bruit cessa
enfin, elle s'endormit plusieurs jours d'affilée.
À son réveil, elle grelottait de froid et se demanda
pourquoi elle ne voyait plus rien à travers ses fenêtres.
Une poudre blanche était collée à ses vitres. Et sa porte
était complètement bloquée. Soudain, elle comprit.
« C'est l'hiver ! Ma maison est enfouie sous la neige ! »

Madame Cigale émit son cri le plus strident, mais personne ne répondit. Et les fourmis? Après avoir travaillé tout l'été, elles étaient sûrement parties en vacances. Tout à coup, la cigale ne fut jamais aussi heureuse: elle entendait une tractopelle et des perceuses. «Tout va bien, Madame Cigale? On arrive!» cria Fourmita.

Les pattes protégées par des moufles, bonnet sur la tête, les fourmis creusèrent un long tunnel jusqu'à la maison. Peu à peu, la lumière du soleil apparut et Madame Cigale put enfin ouvrir sa porte.

« Merci, mesdemoiselles, vous m'avez sauvé la vie !

– Les travaux de la fourmilière sont terminés.
Accepteriez-vous de venir boire un thé chez nous ?»
demanda Fourmita.

Madame Cigale se dit qu'elle avait finalement beaucoup
de chance d'avoir de telles voisines. Cela lui donna
une idée.

«Et si j'apportais mon disque préféré ?
Nous pourrions danser ensemble en attendant
le printemps ?»

Lulu, le petit ver de terre qui voulait une garde-robe

Aujourd'hui, Lulu le ver de terre est passé devant
la vitrine d'un grand magasin.
« Maman, pourquoi je n'ai pas une garde-robe à
la mode, moi ? Je n'aime plus être tout nu ! déclare Lulu
en rentrant chez lui.
– Tu voudrais avoir des vêtements ? demande sa maman.
– Oui, des tas d'habits ! »

Le lendemain, Lulu sort de la maison avec
une magnifique polaire rayée, qui l'enveloppe de la tête
aux pieds. Lulu est très content, tout le monde le trouve
magnifique. Mais il a trop chaud, il transpire, il étouffe !
Finalement, Lulu enlève son pull pour escalader
un rocher.

« Maman, merci pour la polaire, déclare-t-il en rentrant.
Je crois que ça fera un joli tapis. »

Quelques jours plus tard, Lulu arrive au square avec
une casquette et un maillot de footballeur. Ses copains
lui tournent autour pour l'admirer mais, quand la partie
commence, Lulu est bien embarrassé : la casquette lui
glisse sur les yeux, le maillot s'accroche dans l'herbe
et il manque trois fois le ballon. Finalement, Lulu enlève
ses nouveaux habits et marque un but ! Hourra !

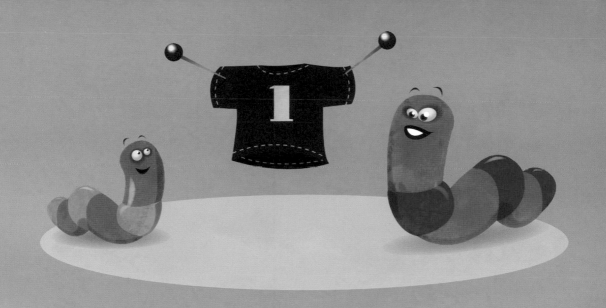

«Merci pour la tenue de footballeur, maman, dit-il
en rentrant. Je crois que je vais plutôt l'accrocher dans
ma chambre en décoration.»

Comme aucune tenue ne semble lui convenir, la maman
de Lulu décide de lui faire une surprise.
Quand le petit ver se réveille, il est épaté : sa nouvelle
tenue est de toutes les couleurs.
Sur le court de tennis, tous ses amis veulent être dans
son équipe ! Le match commence et Lulu étonne tout
le monde par sa rapidité. Mais bientôt
il pleut, et Lulu laisse une drôle de trace
derrière lui… Son vêtement a fondu…

« Ton maquillage était vraiment super-beau,
dit Lulu en embrassant sa maman. Mais tu sais,
je peux sortir tout nu. Finalement, c'est ça,
ma mode à moi ! »

Photogravure : Point 4
❦ Achevé d'imprimer en février 2012 par Book Partners (Chine)
Dépôt légal : mars 2011